찰리의 시끌벅적 하룻밤

SEOUL, 2009

찰리의 시끌벅적 하룻밤

초판 제1쇄 발행일 2009년 11월 20일
초판 제37쇄 발행일 2022년 3월 20일
글 힐러리 매케이 그림 샘 헌 옮김 지혜연
발행인 박헌용, 윤호권 발행처 (주)시공사
주소 서울시 성동구 상원1길 22, 6-8층 (우편번호 04779)
대표전화 02-3486-6877 팩스(주문) 02-585-1247
홈페이지 www.sigongsa.com/www.sigongjunior.com
Charlie and the Cat Flap
Text copyright © Hilary McKay, 2007
Illustrations copyright © Sam Hearn, 2007
All rights reserved.
Korean translation copyright © 2009 by Sigongsa Co., Ltd.
This Korean edition is published by arrangement with Scholastic Limited
through Kids Mind Agency, Seoul.

이 책의 한국어판 저작권은 키즈마인드 에이전시를 통해
Scholastic Limited와 독점 계약한 (주)시공사에 있습니다. 저작권법에 의해
한국 내에서 보호받는 저작물이므로 무단 전재와 무단 복제를 금합니다.

ISBN 978-89-527-8671-5 74840
ISBN 978-89-527-5579-7 (세트)

*시공사는 시공간을 넘는 무한한 콘텐츠 세상을 만듭니다.
*시공사는 더 나은 내일을 함께 만들 여러분의 소중한 의견을 기다립니다.
*잘못 만들어진 책은 구입하신 곳에서 바꾸어 드립니다.

KC마크는 이 제품이 공통안전기준에 적합하였음을 의미합니다.
제조국 : 대한민국 사용 연령 : 8세 이상
책장에 손이 베이지 않게, 모서리에 다치지 않게 주의하세요.

찰리의 시끌벅적 하룻밤

힐러리 매케이 글 · 샘 헌 그림

지혜연 옮김

시공주니어

차례

제 1 장
대망의 잠옷 파티 4일 전

찰리와 헨리는 둘 다 여덟 살이었고
가장 친한 친구였다. 가장 친하기는
했지만 항상 싸우기도 했다.
학교에서도 말다툼을 벌이기
일쑤였고 친구들 생일 파티에서도
티격태격했다. 학교에서 소풍을 갈 때면 늘
둘을 갈라놓아야 했다.

친구들은 이렇게 말했다.

"찰리하고 헨리는 죽을 때까지 저럴 거야!"

하지만 찰리와 헨리는 그다지 신경 쓰지 않았다.
선생님들은 두 아이를 '끔찍한 두 녀석, 곱빼기
말썽쟁이'라고 불렀다. 찰리와 헨리의 아빠들도
같은 생각이었다.

찰리와 헨리의 엄마들이 말했다.

"너희 둘은 결국 늘 싸움으로 끝나는구나."

월요일 아침, 찰리의 형 맥스가 금요일에 친구
집에 가서 하룻밤 자도 되냐고 물었다. 찰리의
엄마는 그래도 된다고 했다. 그 말은 곧, 찰리의
방에 침대가 하나 빈다는 뜻이었다. 월요일 오후,
찰리와 헨리는 학교가 끝나자마자 뛰쳐나왔다.
그러고는 찰리와 헨리 때문에 걱정을 늘어놓고 있는
엄마들이 서 있는 곳으로 달려갔다.

찰리가 물었다.

"금요일 밤에 헨리가 우리 집에 와서 자도 돼요?"

찰리와 헨리의 엄마는 말이 떨어지기 무섭게 소리쳤다.

"안 돼!"

"안 돼, 지난번에 어땠는지 아직도 기억이 생생하다고."

지난번에 찰리가 헨리네로 자러 갔을 때, 갑자기 찰리는 헨리의 숨소리를 단 한순간도 더는 참을 수 없다고 했다. 그 바람에 헨리의 아빠는 새벽 2시에 옷을 갈아입고 찰리를 집으로 데려다 주었다.

그날 찰리는 불같이 화를 내며 불평했다.

"헨리가 내 숨소리를 흉내 내요! 내가 숨을 쉴 때마다 자기도 숨을 쉬어요! 아저씨가 헨리의

울트라슈퍼 물총을 빼앗아 간
다음부터 저런다고요! 그리고
제 간지럼 가루랑 죽은 파리

두 마리는 어떻게 됐어요? 제가
알고 싶은 건 그거예요."

그래서 헨리네 아빠는 찰리를 집에 데려다
주어야 했고, 헨리는 울트라슈퍼 물총을
일주일 동안 빼앗겼다. 하지만 간지럼 가루와 죽은
파리 두 마리는 찰리가 놓아둔 그대로 헨리의
침대에서 고스란히 발견되었다.

찰리와 헨리는 자기들이 싸웠던 일에 대해서는 싹
잊어버린 모양이었다. 엄마들이 일깨워 주자 오히려
놀라는 듯했다. 둘은 서로 마주 쳐다보고는 이내
불쌍한 표정을 짓더니 다시 조르기 시작했다.

찰리가 엄마에게 말했다.

"맥스 형은 친구 집에 가서 잠옷 파티를 해도

된다고 허락해 주면서 왜 나는 안 돼요?"

"엄마는 나보다 형을 더 좋아해요!"

"엄마는 형만 좋아한다고요!"

"이건 불공평하다고요!"

그러자 헨리도 자기 엄마에게 투덜거렸다.

"적어도 찰리에게는 형이라도 있잖아요! 난 형도 없고 누나도 없고…… 어른들하고만 사는 게 얼마나 따분한지 모른다고요."

두 엄마는 끙 소리를 냈다. 찰리와 헨리는 멈추지 않았다.

둘은 계속 구시렁거렸다.

"우리는 절대 안 싸운다고요."

"찰리는 내가 때려 주는 것을 좋아한다고요."

"헨리는 내가 밀어서 넘어뜨려 주는 것을 좋아한다고요."

"우리는 가끔 말다툼만 할 뿐이라니까요."

찰리가 말했다.

"난 말다툼도 안 해."

헨리가 따졌다.

"어떻게 그렇게 말할 수가 있어? 네가 늘 시비를 걸잖아!"

찰리가 대답했다.

"그냥 네가 하는 말이 말 같지 않아서 그런 거야."

"시비쟁이, 시비쟁이, 시비쟁이."

헨리는 엄지손가락을 귀에 꽂은 채 찰리를 향해 네 손가락을 마구 흔들어 보이면서 말했다.

"투덜쟁이, 투덜쟁이, 투덜쟁이!"

찰리는 헨리의 멱살을 잡고는 말했다.

"네가 아주 잘난 줄 아나 본데, 넌 네가 생각하는 것에 반도 똑똑하지 못하거든!"

헨리는 자기 엄마 뒤로 숨으면서 말했다.

"너는 그보다 4분의 1도 똑똑하지 못하거든."

찰리가 소리를 버럭 질렀다.

"넌 100만분의 1도 똑똑하지 못해!"

헨리가 또 맞장구를 쳤다.

"넌 100만분의 1의 4분의 1도 똑똑하지 못해!"

찰리는 산수에 그리 뛰어나지 않아 100만분의 1의 4분의 1보다 더 작은 수를 생각해 낼 수가 없었다. 그래서 아무 말도 하지 않았다. 찰리는 상관없다는 듯

하늘을 쳐다보았다.

헨리는 자기 엄마 뒤에서 나와 자기가 이겼다는
표시로 혀를 쏙 내밀어 보였다.

"야!"

찰리는 짧게 소리치고는 헨리에게 덤벼들어
녀석을 땅에 박았다. 헨리를 바닥에 쓰러뜨리는
것은 누구라도 쉽게 할 수 있었다. 헨리가 균형을
잡는 데 약하기 때문이었다.

찰리는 헨리를 깔고 앉았다. 헨리는 팔을
휘둘렀다. 그러다가 찰리의 코를 쳤다. 그 순간
찰리는 코피를 흘리기 시작했다. 찰리는 살짝만
부딪쳐도 늘 코피가 났다. 영 신통치 않게 만들어진
코 같았다.

이런 모든 실랑이와 몸싸움, 그리고 코피가
나기까지는 2분도 채 걸리지 않았다. 그렇게 한바탕
난리를 치른 뒤에도 찰리와 헨리는 어진히 가장

친한 친구였지만 엄마들은 이해하지 못했다.

헨리의 엄마는 헨리를 일으켜 세우고는 말했다.

"자, 이제 미안하다고 해! 네가 찰리에게 한 짓을
봐라!"

찰리의 엄마는 찰리 코에 휴지를 몇 장 쑤셔
박고는 날카롭게 말했다.

"피가 멈출 때까지 가만히 앉아 있어! 잘못했다고
할 사람은 바로 너야! 헨리를 그렇게
쓰러뜨리면 어떡하니!"

그러더니 엄마들은
한목소리로 말했다.

"이러고도 너희 둘이
친구라니……."

그날 오후에는 찰리와
헨리도 더 이상 조르지 않았다.
하지만 다음 날 아침에 다시

졸라 보자고 의견을 모았다. (다음 날 아침은
화요일이었다.)

찰리와 헨리는 인내심을 발휘하여 똑같은 질문을
계속 해 댔다.

"같이 잠옷 파티를 하면 왜 안 되는데요?"

찰리는 엄마가 자기보다 형을 더 좋아하며, 그건
부당하다고 했다. 그리고 헨리는 어른들하고만 사는
게 얼마나 지겨운지 모른다며, 그것도 부당하다고
했다. 조르는 찰리와 헨리도 무척 힘들었다. 하지만
결국 보람은 있었다.

수요일 오후가 되자, 두 엄마는 포기를 하고서는
이렇게 말했다.

"아, 알았어! 제발 편안하게 조용히 좀 살자!
그리고 이번이 너희들한테 마지막 기회가 될 거야!"

제 2 장
대망의 잠옷 파티 2일 전

찰리와 헨리는 최고의 밤을 계획했다. 둘은
협정을 맺었다.

'간지럼 가루 금지,

죽은 파리 금지,

놀라운 실내 비를 내리기 위한

울트라슈퍼 물총을 천장에 대고 쏘는 일 금지.'

찰리가 말했다.

"우리, 유령도 찾아보자."

"좋은 생각이야. 그리고 자정엔 만찬도 하자."

찰리가 대답했다.

"훌륭해!"

'좋은 생각이야!' 또는 '훌륭해!' 라는 말을 둘이서 주고받으니 기분이 이상했다. 하지만 이 모든 건 찰리와 헨리가 세운 계획의 일부였다.

둘이 싸우기 시작하면 잠옷 파티가 흐지부지 없어질 것을 둘은 잘 알고 있었다. 그래서 잠옷 파티 허락을 받고 난 다음부터 대망의 그날까지 이틀 동안 찰리와 헨리는 아주 얌전하게 굴었다. 적어도 사람들이 보는 앞에서는 절대로 싸우지 않았다.

찰리의 엄마가 말했다.

"그리 오래가지는 않을 거예요."

찰리의 엄마는 아주 우울해하며 그렇게 말했는데, 그건 잠옷 파티가 찰리네 집에서 벌어질 예정이었기

때문이다. 반대로 헨리의 엄마는 훨씬 즐거워
보였다. (헨리의 엄마는 사실 대망의 금요일에
휴대 전화를 꺼 두고 영화를 보러 갈 계획을 이미
세워 놓았다.)

헨리의 엄마는 이렇게 말했다.

"어쩌면 헨리와 찰리도 철이 들기 시작했는지도
몰라요. 마침내!"

두 사람은 동시에 말했다.

"그렇게 되면 얼마나 좋겠어요!"

가끔씩 찰리와 헨리의 엄마는 찰리와 헨리가 다른
아이들에 비해 철이 드는 데 시간이 엄청나게 많이
걸리는 것 같다고 생각했다.

찰리와 헨리는 자정의 만찬을 준비하는 데 용돈을
몽땅 썼다. 둘은 소금 뿌린 땅콩, 신발 끈 모양의
딸기 맛 젤리, 삼각 모양의 치즈 과자, 코카콜라,
엠앤엠즈 초콜릿, 그리고 카레 맛 과자를 샀다.

아이들은 모든 물건을 헨리의 침낭 맨 밑바닥에 숨겼다. 엄마들이 포기하고 잠옷 파티를 허락해 주자마자 헨리는 그 침낭을 찰리네 집에 가져다 두었다. 그 뒤로 헨리의 침낭은 찰리가 맥스 형과 같이 쓰는 옷장 바닥에 죽 있었다.

찰리와 맥스는 2층 침대를 썼다. 맥스가 위에서 자고 찰리가 아래서 잤다. 맥스는 찰리가 가끔씩 밤에 사고를 치기 때문에 침대 위층에서 자지 못하게 했다.

맥스가 말했다.

"내가 아래서 자고 있는데 거시기가 뚝뚝 흐르면 어떻게 하라고? 생각만

해도 끔찍하다!"

맥스는 찰리가 자기 방에서 잠옷 파티를 한다는
것을 못마땅하게 여겼다.

"여기 있는 내 물건에는 절대 손대면 안 돼!
그리고 헨리한테 내가 직접 그러더라고 전해.
절대로 내 스케이트보드나 자전거를 만지지 말라고!
그리고 내 침대에서 자지 말았으면 좋겠다! 네가
가끔 저지르는 그 일을 헨리는 하지 않았으면
좋겠는데!"

찰리는 듣는 둥 마는 둥 했다.

맥스는 불안해하며 다시 말했다.

"흠, 침낭이 아주 두툼한데?"

맥스는 옷장 바닥에 있는 헨리의 침낭을 꺼냈다.
맥스는 아래쪽이 불룩 나와 있는 것을 보고 거꾸로
털어 보았다.

소금 뿌린 땅콩, 딸기 맛 젤리, 삼각 모양의 치즈
과자, 엠앤엠즈 초콜릿, 그리고 카레 맛 과자와
코카콜라 한 병이 바닥에 떨어졌다.

찰리가 말했다.

"이건 우리가 자정의 만찬을 할 때 필요한
음식들이야."

맥스는 더 불안해하며 큰 소리로 말했다.

"이런 세상에! 저렇게 많이 먹었다가는 너희 둘
다 틀림없이 배탈 날 거야."

찰리는 그 소리도 들은 척 만 척 했다.

맥스가 계속했다.

"하긴 저것들을 다 먹을 정도로 헨리가 오래 있지
못할지도 모르지! 너희 둘이 싸우기 시작하면 당장

헨리를 집으로 데려다 줄 거라고 하셨지?"

찰리가 대답했다.

"맞아. 흠, 하지만 우리는 싸우지 않을 거야!
그리고 배탈도 나지 않을 거고! 그러니 하하하!
우리는 밤새 잠을 자지 않고 꼭 찾아볼 거야…….
유령 말이야!"

맥스가 웃었다.

"아마 유령을 보면 겁이 나서 줄행랑을 칠걸?"

"그럴 리 없어! 딱 한 번만이라도 봤으면

좋겠는데……."

맥스는 말했다.

"그런 소원을 함부로 빌면 안 되지……. 소원을 빌

땐 신중해야 해."

잠옷 파티를 하던 날, 찰리는 한밤중에 형이 한

말이 생각났다.

제3장

대망의 잠옷 파티 :
저녁 8시에서 밤 10시까지

맥스 형이 가 버렸다. 헨리는 커다란 사각형
가방을 들고 나타났다. 헨리의 엄마는 헨리가 혹시
필요로 하게 될 물건들을 아주 꼼꼼하게 챙겨 짐을
싸 주었다. 하지만 헨리는 엄마가 보지 않을 때
재빨리 그 물건들을 뺐다. 그래서 헨리는 잠옷과
슬리퍼를 비롯해 세면도구도 챙겨 오지 않았다. 그
대신 햄스터를 우리에 담아 가져왔다. 햄스터

우리가 가방을 몽땅 차지했던
것이다.
　헨리는 햄스터가 든
우리를 맥스의 침대에
올려놓으면서 말했다.
"필요한 건 너한테 빌려 쓰면
되겠지?"
　찰리는 전혀 신경 쓰지
않았다. 찰리는 헨리가 입을 잠옷을 한 벌 꺼냈다.
그러고는 욕실에서 쓸 칫솔도 하나 찾아 주었다.
헨리에게 잠옷과 칫솔을 찾아 준 다음, 찰리는 맥스
형의 서랍을 뒤져 혹시 숨겨 놓은 흥미로운 물건이
있는지 찾아보자고 제안했다. 둘은 한참 동안 보물을
찾아 헤맸지만 아무것도 찾을 수가 없었다. 이럴
거라 짐작했던 맥스가 평소 숨겨 놓았던 흥미로운
물건들을 모두 챙겨 갔기 때문이었다. 그래서 찰리와

헨리는 레고로 탱크를 만들어 전투를 벌였다.

전쟁 소리가 점점 요란해지자 찰리의 엄마가
들어와 명령하듯 말했다.

"어서들 자야지!"

잠잘 준비를 하던 헨리는
잠옷을 가지고 투덜거렸다.
왜 하필 분홍색이냐고 묻자
찰리가 그건 옅은
빨간색이라고
둘러댔다. 헨리는
칫솔에 대해서는 아무

소리도 하지 않았다. (적어도 그때는 그랬다.)

둘 다 잘 준비를 마친 다음 아래층으로 내려가
찰리의 엄마 아빠에게 "안녕히 주무세요."라고
인사했다.

찰리의 아빠가 말했다.

"잘 자라. 그리고 무슨 일만 생기면 내가 바로
올라가 바닥에서 잘 거니까 알아서들 해라.
경고하는데, 난 낙타처럼 요란하게 코를 곤단다.
그렇지 않니, 찰리?"

찰리는 뿌듯해하며 대답했다.

"네."

헨리는 의아했다.

"분명히 낙타가 코
고는 소리를 들어 본
적이 없을 텐데."

그러자 찰리가
말했다.

"내가 들어 봤는지 안 들어
봤는지 네가 어떻게 알아?"

찰리의 엄마가 서둘러 말했다.

"잘 자라, 애들아. 좋은 꿈 꾸고, 너무 오래

이야기하지는 말도록 해. 그런데 헨리, 너 지금 찰리 잠옷을 입고 있는 거니?"

"네, 잠옷을 집에 두고 와서요. 괜찮죠?"

찰리의 엄마는 괜찮다고 말했다. 찰리의 엄마는 둘이 낙타에 대해 싸우지만 않는다면 헨리가 무엇을 입어도 상관없다고 했다. 그렇게 말한 것은 정말로 큰 실수였다. 그 말을 들은 헨리는 찰리의 방으로 돌아오자마자 플라스틱으로 만든 찰리의 갑옷을 입고 방패를 들고 허리띠를 매고는 칼을 찼다. 그러더니 2층 침대 사다리를 타고 철커덕철커덕, 자기의 침낭이

펼쳐져 있는 맥스의 침대로 올라가서는 햄스터 우리
옆에 누웠다. 그러고는 말했다.

"활과 화살도 건네줄래, 찰리?"

찰리가 대답했다.

"아니, 싫어! 처음에는 잠옷만 달라고 하더니
이제는 내 갑옷을 입고는 활과 화살까지 달라고
하는군!"

찰리는 침대에서 일어나 활과 화살을 집어
들었다. 그러더니 서랍장 위로 올라가 침대에 누워
있던 헨리에게 화살을 쏘았다.

헨리는 불쌍한 목소리로 조용히 말했다.

"나를 해치는 건 상관없는데, 이 불쌍한 햄스터를
겁먹게 하지는 말아 줘."

"괜히 미안한 생각이 들게 하려고 그렇게 말하는
거지?"

찰리는 또 하나의 화살을 활에 꽂았다.

헨리는 대답을 하지
않았다. 대신
낑낑거리며 갑옷을
벗어서는 닥치는 대로 하나씩
찰리의 머리를 향해 집어
던졌다. 찰리는 마지막
화살을 당기고는 위쪽 침대로
돌진해 가더니 헨리를
잡아당겨 바닥에
내동댕이쳤다.

　그때, 갑자기 아래층에서 소리가 들렸다.
　"너희 둘, 2층에서 얌전하게 있는 거지?"
　둘은 서로 붙들고 있던 손을 놓으면서 소리쳐
대답했다.
　"네."
　"잘 준비 거의 다 했지?"

"네, 거의 다요!"

두 아이는 그렇게 대답하고는 이불 밑으로 쑥 들어가 얌전하게 누웠다.

"내가 올라가서 볼까?"

"아니요. 됐어요, 됐다고요!"

찰리와 헨리는 두 눈을 꼭 감고 큰 소리로 대답했다.

한참 동안 방은 아주 조용했다. 그리고 아주 어두웠다.

어둠 속에서 헨리가 나지막하게 찰리를 불렀다.

"찰리!"

찰리는 화들짝 놀라 깨며 물었다.

"왜?"

"만약에 말이야, 2층으로 올라오는 발자국 소리가

점점 더 크게 들리다가
갑자기 문이 확
열리면서 방으로
차가운 공기가
밀려드는가 싶더니 우리

위로 엄청나게 큰 검은 물체가 서 있는 거야. 그
주위로 초록색 불빛이 보이고 말이야. 그때 우리가
〈해리 포터〉에서처럼 비명을 지르면 어떻게 될까?"

"나도 모르지."

찰리는 그런 생각을 하고 싶은 마음이 없었다.

헨리가 말했다.

"그냥 궁금해서, 아래층이 너무 조용한 거 같지
않아? 갑자기 너의 엄마와 아빠에게 끔찍한 일이
일어났다면 그다음 타자가 우리일 거라는 생각이
들어서……. 확실히 아까 문이 움직였어…….
조심해!"

제 4 장
밤 10시에서 자정까지

찰리는 문 쪽을 보고 또 보았다. 눈이 시려 감길 때까지 뚫어져라 쳐다보았다. 하지만 보이는 것은 그저 연한 회색을 배경으로 한 잿빛 형태뿐이었다. 헨리의 말이 맞는 것 같기도 했다. 이따금씩 문이 움직이는 것 같았다.

헨리가 투덜거렸다.

"난 너희 집에서 잠옷 파티 하는 게 진짜 싫어!"

그 소리에 찰리는 화가 나서 비아냥거리듯
말했다.

"다 큰 게 아기처럼 칭얼대기는!"

헨리가 바락바락 대들며 말했다.

"용감한 척은 다 하면서 왜 그렇게 조용조용
말하는데? 행동으로 제대로 보여 봐! 가서 문이라도
닫으라고."

찰리가 대답했다.

"하기 싫은 건 안 해."

"아, 그렇구나! 넌 나보다 더 겁을 먹은 거야.
겁쟁이 고양이 같으니라고!"

찰리가 반박했다.

"아니야!"

찰리는 겁을 먹은 게 아니라고 증명이라도 하려는
듯 침대에서 벌떡 일어나더니 문을 제대로 닫았다.
그러고는 방에 있던 가장 큰 물건들, 곧

스케이트보드와 물컹거리는 커다란 쿠션을 쌓아
방문을 막았다. 맨 위에는 무겁고 덜커덕거리는
레고 상자를 올려 균형을 잡았다. 찰리는 불을 탁
끄고 침대로 씩씩하게 걸어왔다.
　찰리는 아주 친절한 목소리로 말했다.

"자, 이제 안전하단다. 가엾은 우리 헨리!"

헨리는 한숨을 짓고는 돌아누운 다음 침낭 안에 있던 발을 꼬며 말했다.

"나 화장실 갈래!"

"그럴 순 없어. 그럼 저 물건들을 다 치워야 하잖아!"

"흠, 근데 가야 한다고."

"난 몰라. 아침까지 기다려! 다른 생각을 해 봐! 그런데 우리의 자정 만찬은 언제 하는 거야?"

"그야 당연히 자정에 해야지. 그런데 내가 아침까지 견딜지 모르겠어."

"당연히 견딜 수 있어. 자정이 거의 다 된 것 같지 않니?"

"아니."

"왜?"

"내 야광 시계가 이제 10시 반을 가리키고

있으니까."

"치!"

찰리는 짜증을 냈다. 찰리는 야광 시계가 없어
시간을 제대로 알 수 없었기 때문이다.

"자정까지 한참이나 남았구나. 그럼 일단 잠을 좀
자 두는 게 좋겠네."

"그럴 수 없어. 잠을 잘 수가 없다니까!"

찰리가 충고를 했다.

"숫자를 세어 보라고. 골을 넣는 숫자를 말이야.
맥스 형이 가르쳐 줘서 해 봤는데 효과가 있었어."

헨리는 햄스터 우리 옆에 불편한 자세로 누워
숫자를 세어 보았다. 헨리는 빨간색에 하얀
줄무늬가 그려진 축구복을 입고, 완벽한 직사각형
모양의 초록색 잔디가 깔린 축구장에서, 열광하는
팬들의 응원을 받으며, 자기보다는 못하지만 같은
유니폼을 입은 나름대로 훌륭한 10명의 동료

선수들과

함께, 초록색에 노랑

줄무늬 유니폼을 입은 상대편 선수들, 특히 겁에

질려서는 헨리의 공격을 막아 내려고 서 있는

골키퍼(꼭 찰리와 똑같이 생겼음)를 향해

무자비하게 한 골씩 한 골씩 페널티 킥을 찼다. 공은

마치 혜성처럼 불꽃을 남기며 날아갔다. 물론 골을

넣을 때마다 관중들은 열광했다. 상대편 팀도 어쩔

수 없이 환호를 보냈다. 헨리가 잠이 들 때쯤엔 모든
사람들(수천 명에 달하는 관중들과 텔레비전
시청자들)이 즐거운 시간을 보내고 있었는데, 상대
골키퍼만 예외였다. 그 골키퍼는 자신이 두려움에
떨고 있다는 사실을 인정하지 않고 있었다.

갑자기 이제껏 들어 보지 못한 요란한 소리가
들렸다. 그러고는 밝은 빛이 쏟아졌고 비명이
이어졌다. 비명은 찰리가 내는
소리였다.

그 순간, 깊은 잠에 빠져 있다가
깨어난 헨리는 뜨끈함과
축축함을 느끼고
있었다.

찰리의 엄마가 큰
소리로 말했다.

"찰리, 소리 좀 그만

질러! 엄마야, 엄마! 미안해! 그저 잠깐
들여다보려던 것뿐인데! 그냥 아무 생각 없이…….
이것 좀 봐! 레고가 온 사방에 깔렸네! 잠을 깨워
미안하구나, 헨리! 어서 다시 자라!"

　불은 다시 꺼졌다. 헨리는 잠결에도 찰리가
투덜거리면서 어둠 속에서 레고를 주워 모아 다시
요새를 쌓는 것을 알 수 있었다.

　찰리가 다시 침대로 주섬주섬 기어올라 자리에
누울 때 헨리가 중얼거렸다.

　"젠장, 소리 한번 요란하네."

　찰리가 대답했다.

　"알아. 놀라서 하마터면 오줌을 쌀 뻔했어."

　"난 싼 것 같아."

　"쌌어?"

　"그런 것 같아."

　"엄마를 모셔 올까?"

"아니. 어떡하지?"

경험이 많은 찰리가 대답했다.

"별로 할 것은 없어. 곧 마를 거야. 그냥
사라지더라고. 이유는 모르겠지만."

"알았어."

헨리는 안도의 한숨을 내쉬며 대답하더니 조금
있다가 물었다.

"그런데 네가 그걸 어떻게 알아?"

찰리는 아무 대답도 하지 않았다.
이미 너무 많이 말해
버린 것 같았다.
대신에 찰리는
코를 골기
시작했다.

그래도 헨리는
계속 말했다.

"내 말 듣고 있는 거 다 알아! 너도 내가 무슨 말을 하고 있는지 다 알 거야!"

찰리는 더 요란하게 코를 골았다. 헨리는 결국 포기했다. 그러고는 다시 골 숫자를 세기 시작했다. 아까보다 그저 조금 축축할 뿐이었다. 축축한 걸 빼고는 전반적으로 훨씬 더 편안했다. 찰리의 코 고는 소리가 관중들의 환호성처럼 들렸다. 헨리는 그렇게 잠이 들었다.

제5장
자정에서 새벽 2시까지

헨리는 잠이 들었다. 하지만 찰리는 말똥말똥
깨어 있었다. 분명 무슨 소리를 들은 것 같았다.
무엇인가가 방 안을 돌아다니고 있었다. 늘씬한
검은 물체였다. 불안하게도 나지막한 소리가 침대
주변에서 들려오고 있었다. 찰리는 몇 시나
되었는지 알 수가 없었다.

얼마나 무서운지 찰리는 손가락 하나 까딱할 수가

없었고 아무 소리도 낼 수가 없었다. 이렇게 세상에
혼자 남은 듯한 외로운 기분은 처음이었다. 헨리는
전혀 위안이 되지 못했다. 지금 찰리가 가장 원하는
사람은 맥스 형이었다. 맥스 형은
세상에 두려운 것이
없었다. 유령도
두려워하지 않았다.

문뜩 찰리는
유령이 보고
싶다고 말할 때
형이 자기한테 했던
말이 생각났다.

"그런 소원은
함부로 빌면 안 돼."

형의 말을 떠올리고 있을
때, 방 안을 돌아다니던 알 수

없는 검은 물체가 점점 가까이 다가왔다. 찰리는
소름이 돋았다. 그리고 심장이 쿵쿵 뛰었다. 찰리는
숨을 죽였다. 알 수 없는 물체가 자신이 어디 있는지
알고 있을까 궁금했다. 자기가 깨어 있는지 알고
있을까? 이름이 찰리라는 것을 알고 있을까? 자기
대신에 헨리를 데려간다면 무슨 짓이라도 하고,
무슨 약속이라도 할 것이며, 그 무엇이라도 내줄
각오가 되어 있다는 것을 알고 있을까?

이제 녀석은 바로 곁에 와 있었다.

찰리는 눈을 감았다. 이제는 차라리 정신을
잃었으면 싶었다. 두려움에 떨던 찰리는 갑자기
세상이 공평치 못하다는 생각이 들었다. 그토록
간절히 빌었던 많은 소원들 가운데 딱 하나
이루어지는 게 이 소원이라니…….

놈이 펄쩍 뛰었다.

놈은 펄쩍 뛰어 찰리를 넘어 헨리의 침대로

올라갔다. 녀석은
덜커덩 소리를 내며
햄스터 우리에
내려앉았다.
상황을 파악한
찰리는 안심이 되어
요란하게 깔깔
웃었다. 자기가
유령이라고 생각했던 놈은 바로 자기 집에서 기르는
고양이 '수지'였다. 녀석은 맛있는 햄스터 냄새가
어디서 풍겨 오는지 알아낸 것이다.

"얌……!"

수지는 아주 행복해하며 얌, 하는 소리를 냈다.

"안 돼, 수지!"

찰리는 침대에서 주섬주섬 일어나 2층 침대로
올라가는 사다리를 밟고 서서 어둠 속에서 녀석을

잡으려 했다. 그러나 때마침 잠에서 깬 헨리가
소리를 지르며 벌떡 일어나 앉는 바람에 햄스터
우리가 흔들렸다. 균형을 잃은 수지는 찰리에게
날아갔고, 그 바람에 찰리는 고양이와 하나가 되어
바닥으로 쓰러진 채 발버둥을 치며 버둥거렸다.
얼마 있다가 방문이 활짝 열렸고 그 때문에 레고

상자가 그날 밤 두 번째로 무너져 내렸다.

찰리의 엄마가 화를 내며 물었다.

"무슨 일이야?"

찰리 엄마는 온 머리카락이 쭈뼛 선 채 아빠의
가운을 뒤집어 입고 서 있었다.

"오, 수지! 이 나쁜 녀석! 이게 무슨 짓이야?
녀석을 이리 줘, 찰리. 녀석을 밖에 내놓을게.
괜찮니, 헨리?"

헨리가 따지듯 물었다.

"저 녀석이 찰리의 햄스터를 먹어 버린 그 고양이
놈인가요?"

찰리의 엄마는 '제발 새벽 2시에 그런 끔찍한
질문은 하지 마라.' 라고 말하는 듯한 신음 소리를
냈다. 그러고는 머리가 아픈지 얼굴을 잔뜩
찡그리고는 수지를 안고서 레고를 밟으며 문 쪽으로
돌아갔다.

헨리는 단단히 화가 나서 물었다.

"그 녀석이에요?"

"내가 방문을 꼭 닫고 녀석을 정원 밖에 내놓으마. 고양이가 드나드는 문에 걸쇠를 걸어 다시는 집 안으로 들어오지 못하게 할게."

찰리 엄마는 버둥대는 고양이를 품에 안고 아픈 것도 참아 가며 레고를 밟고 걸어가서는 아이들을 달래는 목소리로 말했다.

"어서 다시 자라, 애들아!"

찰리의 엄마가 나가면서 문을 조심스럽게 닫자 찰리와 헨리는 안도의 한숨을 내쉬었다. 엄마가 햄스터 우리를 보지 못했기 때문이다.

찰리가 웃으며 말했다.

"정말 재미있었어!"

헨리는 기가 막혀 큰 소리로 되물었다.

"재미있어? 재미있냐고!"

헨리는 침대 가장자리 너머로 몸을 숙이고는
찰리의 머리카락을 양손으로 잡고 잡아당겼다.
그러고는 말했다.

"이건 잠옷 파티를 핑계로 나의 불쌍한 햄스터를
살인마 고양이가 있는 집으로 초대한 대가다!"

찰리는 몸을 뒤로 빼면서 대답했다.

"난 햄스터를 초대한 적 없어. 네가 그냥 데려온
거잖아"

찰리는 깔깔 웃으며
침대에 누운 채 헨리의
매트리스 바닥을
아래에서 두 발로
세게 밀어 댔다.
그러자 매트리스가
깜짝 놀랄 정도로
기울어졌다.

"너희 집에 아직도 그 고양이 녀석이 있는 줄
몰랐잖아. 내 침대 밀지 마! 재미없어!"

"재미있는데!"

헨리는 침대 밑으로 있는 힘껏 베개를 휘둘렀다.

"빗나갔어!"

찰리는 그렇게 말하고는 숨이 넘어갈 정도로 깔깔
웃어 댔다. 그러면서 헨리가 누운 침대를 점점 더
세게 밀었다.

헨리는 위험할 정도로 침대 난간 너머로 몸을
기울이고는 찰리의 다리를 잡았다. 하지만 찰리가
다리를 버둥거리는 바람에 둘 다 바닥으로
나가떨어졌다.

다시 한 번 부서질 듯 요란하게 방문이 열렸다.
이번에는 찰리의 아빠였다. 아빠는 눈이 거의 감겨
있었고, 복숭아색 레이스가 잔뜩 달린 찰리 엄마의
가운을 입고 있었다.

"아얏!"

찰리의 아빠가 소리를 질렀다. 스케이트보드
때문에 넘어질 뻔하다가 레고 블록을 밟은 것이다.

"아니, 세상에……

아니, 이게……

아니, 이게 다 무슨 일이야?"

찰리 아빠는 불을 켰다가 거울에 비친 자신의 모습을 보고는 얼른 불을 도로 껐다.

찰리의 아빠가 끙, 하며 말했다.

"내가 졌다! 난 이런 일들을 감당하기에는 너무 늙었어. 난 자러 갈란다!"

헨리와 찰리도 다시 침대에 누웠다. 그러고는 조용히 꼼짝도 하지 않고 있었다. 어쩌면 아빠가 마음을 바꾸어 찰리 방으로 돌아와서 협박한 대로 바닥에서 잘지도 몰라서였다.

헨리가 물었다.

"너네 아빠는 욕할 줄을 모르시니?"

찰리는 자상하게 대답했다.

"아니, 얼마나 잘하시는데. 아빠가 정신이 말짱해지는 아침까지 기다려 봐!"

집은 다시 조용해졌다. 찰리는 잠이 들었다.
헨리도 거의 잠이 들려고 했다. 그러다 헨리에게
무슨 생각이 났다.

헨리가 나지막하게 찰리를 불렀다.

"찰리!"

찰리가 잠결에 대답했다.

"음?"

"우리, 자정의 만찬을 해야지!"

찰리가 중얼거렸다.

"그럴 거야."

"언제?"

"곧."

찰리는 그렇게 대답해 놓고는 아주 한참 만에
말을 이었다.

"오케이?"

코 고는 소리밖에 아무 대답이 없었다.

"오, 이런."

그렇게 중얼거리던 찰리도 이내 코를 골기 시작했다.

제 6 장
새벽 2시에서 4시까지

 헨리의 햄스터는 무지하게 게을렀다. 그리고 늘
시끌벅적한 헨리와 사는 데 익숙해져 있었다.
그래서 수지라는 고양이가 자기 우리에 훌쩍 뛰어
내려섰을 때 뒤척이지도 않았다. 하지만 새벽 2시와
4시 사이에는 반드시 일어나는 습관이 있었다.
일어나면 작은 초록색 바퀴를 놀라운 속도로
신 나게 돌렸다. 하지만 바퀴에 제대로 기름칠이

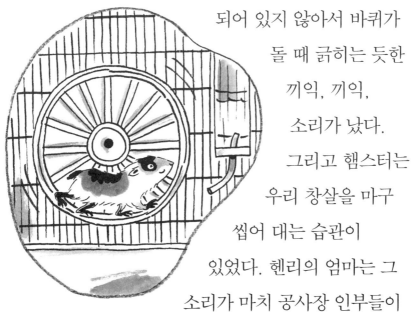

되어 있지 않아서 바퀴가
돌 때 긁히는 듯한
끼익, 끼익,
소리가 났다.
그리고 햄스터는
우리 창살을 마구
씹어 대는 습관이
있었다. 헨리의 엄마는 그
소리가 마치 공사장 인부들이
드릴로 길에 구멍을 뚫는 소리와 같다고 말했지만
그 정도로 심한 것은 아니었다.

그러나 헨리와 찰리의 잠을 깨우기에는 충분히
요란했다. 둘은 한 시간도 못 잤지만 마치 열 시간쯤
푹 자고 일어난 사람처럼 정신이 맑고 또렷했다. 둘
다 무척 배가 고팠다. 둘은 자정의 만찬을 하기에
지금이 얼마나 좋은 시간이냐고 입을 모아 말했다.

헨리가 말했다.

“정말 근사해. 너희 엄마 아빠는 지금쯤 피곤해 곯아떨어져서 세상이 두 쪽 나도 모르실 거야.”

나중에 알았지만 그건 사실이었다.

헨리는 찰리의 침대로 내려와 소금 뿌린 땅콩과 신발 끈 모양의 딸기 맛 젤리, 삼각 모양의 치즈 과자, 코카콜라, 엠앤엠즈 초콜릿, 그리고 카레 맛 과자를 꺼내 몽땅 먹어 치웠다. 삼각형 치즈 맛 과자 한 개는 햄스터에게 주었다.

찰리가 말했다.

“맥스 형이 이걸 다 먹으면 배탈이 날 거라고 했는데, 혹시 배 안 아파?”

헨리는 잠시 조용히 앉아 속이

어떤지 생각해 보았다.

"아니, 전혀. 너는?"

찰리도 잠시 조용히 생각해 보고는 대답했다.

"나도. 맥스 형이라고 뭐든 다 아는 것은
아니구나."

찰리가 그런 생각이 든 것은 그때가 처음이었다.
그런 생각이 드니 찰리는 기분이 좋았다. 기분이
상쾌하면서 장난기가 발동했다.

방은 이제 더 이상 컴컴하지 않았다. 거의 새벽
4시가 되어 있었다. 그리고 한여름이어서 동이 틀
때까지 그리 멀지 않은 시간이었다. 밖에서 새 한
마리가 벌써 울어 대기 시작했다. 찰리는 커튼을
젖혔다. 정원은 온통 초록색과 은색을 띠고 있었고
선선했다. 그리고 아무도 없이 텅 비어 있었다.

찰리가 말했다.

"우리 밖으로 나가자."

헨리의 엄마는 헨리를 찰리의 집에 데려다 주고
돌아가면서, 헨리더러 착하고 얌전하게 행동하라고
일렀다. 헨리 생각에 지금까지는 그렇게 한 것
같았다. 하지만 지금, 새벽 4시에 몰래 밖으로
나가는 것은 분명 착한 행동은 아닌 것 같다는
생각이 들었다.

찰리는 아주 착한 소년의 목소리로 말했다.

"만에 하나 배탈이 나서 토하게 되면 집 안에 있지
않고 밖으로 나가 있는 게 엄마를 위해서는 좋은
일일 거야."

헨리가 그 말에 당장 이렇게 대답했다.

"그러고 보니 속이 조금 안 좋은 것 같기도 하다!"

찰리는 진지하게 말했다.

"흠, 그렇다면 밖으로 나갈 수밖에 없겠어, 헨리."

헨리는 아주 심각하게 대답했다.

"그래, 찰리. 그렇게 해야 할 것 같아."

그래서 찰리와 헨리는 맨발로
살금살금 계단을 걸어
내려갔다. 그러는
동안 둘은 스스로
옳은 일을 하고 있다고
생각했다.

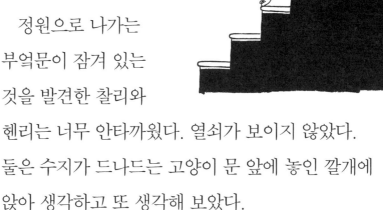

정원으로 나가는
부엌문이 잠겨 있는
것을 발견한 찰리와
헨리는 너무 안타까웠다. 열쇠가 보이지 않았다.
둘은 수지가 드나드는 고양이 문 앞에 놓인 깔개에
앉아 생각하고 또 생각해 보았다.

나중에 찰리와 헨리는 누가 "수지는 덩치가 큰
고양이잖아."라고 했는지 기억하질 못했다.

고양이 문은 생각보다 컸다. 솜씨가 좋은 찰리
아빠가 직접 만든 문이었다. 문은 한 방향으로만

열리도록 걸쇠가 달려 있었다. 수지가 밖으로 한번
나가면 다시 안으로 들어올 수 없고, 집 안으로
들어오면 다시는 밖으로 나갈 수 없게 되어 있었다.
물론 걸쇠를 풀어 놓으면 수지가 마음대로
들락날락할 수 있었다.

　그날 밤, 찰리네 엄마는 수지를 밖으로 내쫓은
다음 다시는 들어오지 못하게 걸쇠를 걸어 두었던
것이다.

　둘 중 누구인지는 몰라도 이렇게 말했다.

　"수지는 덩치가 큰 고양이잖아."

　그래서 찰리와 헨리는 문 앞에 놓여 있는 깔개
위에 앉아 누가 먼저 나갈 것인가를 두고 실랑이를
벌였고, 마침내 헨리가 이겼다.

　헨리는 고양이가 드나드는 문에 고개를 먼저
들이밀고 나서 한 팔을 넣고 그다음에 (옆으로 조금
몸을 뒤틀고) 나머지 다른 팔을 넣었다.

그러자 나머지 몸뚱이는 쉽게 빠졌다. 찰리는 몇
초 뒤 헨리를 뒤따라 나갔다.

제7장
새벽 4시에서 6시까지

정원은 정말 근사했다. 더 이상 어두컴컴하지도 않았다. 잔디는 시원하고 이슬에 젖어 촉촉했다. 그리고 맨발로 디디니 아주 미끄러웠다.

찰리와 헨리는 잠옷이 이슬에 흠뻑 젖고 머리끝에서 발끝까지 초록색 잔디와 진흙으로 줄무늬가 그려질 때까지 미끄러지며 썰매놀이를 했다. 찰리와 헨리는 새벽 5시에 정원으로 나와

잔디에서 놀지 않는 다른 모든 사람들이 이상한
거라고 결론을 내렸다. 찰리는 더없이 행복했다.
헨리도 행복했지만 단 한 가지 작은 일이 마음에
걸렸다. 아주 사소한 일이었지만 잠자리에 들
때부터 왠지 찜찜하게 느껴져서 계속 머릿속에 남아
있었던 것이다.

　헨리는 잔디밭 가장자리에 서서 물었다.

　"찰리, 나에게 빌려 준 칫솔 어디서 난 거야?"

찰리는 달려서 헨리가 있는 곳으로 미끄러졌다.
그러면서 헨리의 다리를 휘감는 바람에 헨리는
나인핀스(볼링과 비슷하며 아홉 개의 나무 핀을 세워
놓고 공으로 쓰러뜨리는 경기 : 옮긴이)의 작은 핀처럼
넘어졌다. 헨리는 늘 쉽게 넘어졌다. 하지만 헨리는
새삼 화가 났다. 헨리는 찰리의 얼굴에 주먹을
날렸다. 그러자 여지없이 코피가 났다. 둘은 모두
화가 났다. 찰리는 헨리의 질문에 답을 해 주지
않았다.

헨리는 서너 번 더 물어본 다음 이렇게 말했다.

"새것이 아니라는 것은 나도 알아. 포장이 되어
있지 않았거든. 그리고 닦을 때 새 칫솔 맛도 나지
않았어."

찰리는 흥미롭다는 듯 물었다.

"그럼 어떤 맛이었는데?"

헨리가 대답했다.

"오래된 맛."

"오."

찰리는 그렇게 말하더니 잠시 숨이 막히는지 캑캑
기침을 해 댔다. 이어 춥다고 하면서 다시 자러
들어가야겠다고 말했다.

이번에는 고양이 문 열기가 너무너무 힘들었다.
그래도 찰리는 어떻게든 머리를 억지로 집어넣었다.
팔 하나는 간신히 집어넣었는데 나머지 팔은 도무지

넣을 수가 없었다.

찰리가 비집고 들어가려 애쓰는 동안에도 헨리는
여전히 찰리를 다그치고 있었다.

"칫솔 어디서 났냐니까!"

헨리는 칫솔이 무지하게 낡은 것 같았다고
덧붙였다. 헨리는 생각을 하면 할수록 칫솔이 점점
더 오래된 것같이 느껴졌다.

새벽 5시 반쯤, 찰리는 완전히 고양이 문에 끼어
버리고 말았다. 찰리가 억지로 들어가려고 힘을
주는 바람에 걸쇠는 휘어졌고, 고양이 문은 반쯤
열린 채 더 이상 꼼짝도 하지 않았다. 헨리는 전혀
도움이 되지 못했다. 헨리는 계속 칫솔에 대해서만
물었다. 그래서 결국 찰리는 살려 달라고 소리를 칠
수밖에 없었다.

고양이 문에 배가 반쯤 꽉 낀 상태라 찰리는 크게
소리를 지를 수가 없었다. 몇 분 동안 소리를 질러도

엄마 아빠는 찰리를 구하러 오지 않았다. 엄마 아빠가 아주 지쳐 곯아떨어져 아무 소리도 듣지 못할 거라는 헨리의 예상이 맞아떨어졌던 것이다. 찰리도 지쳐 버렸다.

찰리가 헨리에게 말했다.

"가서 현관에 있는 초인종을 눌러."

헨리가 물었다.

"뭐라고?"

찰리가 되풀이해서 말했다.

"가서 초인종을 누르라고. 그래야 엄마 아빠가 종소리에 깨실 거야. 그래야 이리로 달려와 나를 구해 주실 거 아니야."

헨리는 칫솔이 어디서 났는지 먼저 말해 주어야 초인종을 눌러 줄 거라고 했다.

"모르고 있는 게 나을 텐데."

찰리가 이렇게 말하자 헨리는 점점 더

궁금해졌다. 그래서 한참 동안 실랑이를 벌인 다음,
마침내 찰리와 헨리는 서로에게 약속하며 타협을
했다. 찰리는 칫솔이 어디서 났는지 말해 주겠다고
약속했다. 헨리는 들은 즉시 초인종을 눌러
주겠다고 했다.

그러고는 잠시 둘 사이에 침묵이 흘렀다.

헨리가 마침내 말했다.

"어서 말해."

찰리가 말했다.

"우리 할머니 거야."

"뭐라고!"

헨리는 소리를 빽 지르더니 혀를 내민 채 정원을
미친 듯이 뛰어다녔다. 머리를 흔들고 으르렁거리고
풀을 한 움큼 뜯어 손에 쥐고 혀를 닦아 댔다.
그렇게 하고도 화가 풀리지 않는지 씩씩거리며 찰리
쪽으로 돌아와 물었다.

우 - 웩!

"어떤 할머니?"

찰리가 소리쳤다.

"빨리 초인종을 누르라고!"

헨리가 버럭 소리를 질렀다.

"어떤 할머니냐니까? 덩치가 크고 머리숱이 많은
분? 아니면 크리스마스 때만 오시는 분?"

찰리가 대답했다.

"크리스마스 때만 오시는 분. 자, 이제 초인종을
눌러!"

마침내 헨리는 초인종을 눌렀다. 하지만 벨을
누르기 전에, 헨리는 고양이 문에 삐죽이 나와 있는
찰리의 몸뚱이 부분을 눈물이 핑 돌 정도로
엄청나게 세게 때렸다.

제 8 장
새벽 6시부터 아침 내내

찰리의 엄마 아빠는 찰리가 어디에 있는지 알고 나서 너무나 놀라워하다가 벼락같이 화를 냈다. 찰리의 아빠는 찰리를 그대로 내버려 두고 앞으로 현관문만 사용하자고 했다.

"좋은 생각이에요."

찰리의 엄마도 찬성했다. 그러고는 다시 침실로 돌아가려다 말했다.

"하지만 빨래를 널 때마다 현관으로 돌아서
다니고 싶지는 않아요."

그래서 찰리네 엄마 아빠는 찰리를 구해 주기로
결정했다. 찰리의 아빠는 굽어 있는 걸쇠의 못을
빼낸 다음 고양이 문으로 찰리를 잡아당겼다.
헨리도 고양이 문으로 들어오려고 했지만 찰리 엄마
아빠는 허락해 주지 않았다. 그래서 헨리는
평범하게 사람 문으로 들어왔다.

찰리가 여기저기 아프다고 말해도, 진흙과 피와
잔디 얼룩으로 뒤범벅이 되어 있어도, 엄마 아빠는
하나도 가여워하지 않았다. 그리고 헨리에게도
다정하게 대해 주지 않았다. 찰리의 엄마 아빠는
찰리와 헨리에게 2층으로 가서 목욕과 샤워를
하라고 했다.

"목욕을 하거나 샤워를 하라는 말이 아니야.
목욕도 하고 샤워도 하라는 말이다."

찰리의 엄마는 단호했다.

"내 인생에서 두 번째로 최악의 날이야."

엄마가 얼마나 불같이 화를 내던지 찰리와 헨리는 첫 번째 최악의 날은 언제였냐고 감히 물어볼 수가 없었다. 그리고 불평을 할 수도 없었다. 화장실에 들어갔을 때, 헨리는 찰리네 할머니 칫솔을 보았다. 헨리는 끙 하고 신음 소리를 내더니 이빨 닦는 컵에 물을 받아 벌컥벌컥 들이켰다.

찰리가 헨리에게 말했다.

"미안해."

헨리는 찰리의 엉덩이에 난 빨간 손바닥 자국을 보았다. 자기가 한 짓이었다. 아프라고 때리기는 했지만 막상 손바닥 자국을 보니 헨리는 미안한 마음이 들었다.

헨리가 찰리에게 사과했다.

"미안해."

빠빡 문질러 닦았는지 둘 다 아주 말끔해진
모습으로 화장실에서 나왔을 무렵, 찰리의 아빠는
이미 출근을 하고 없었다. 찰리의 엄마는 아주
차분했다. 레고가 온 사방에 흩어져 있고, 햄스터
우리에서 나온 톱밥과 자정의 만찬을 한 부스러기로
가득한 찰리의 방을 보고 난 뒤에도 아무 말이

없었다.

찰리의 엄마가 말했다.

"적어도 둘이 싸움은 그친 것 같구나."

스스로 자기들은 가장 친한 단짝이며 거의
싸우지도 않는다고 생각하고 있던 둘에게 그 말은
늘 뜻밖의 이야기였다.

헨리의 엄마가 헨리를 데리러 왔을 때 아이들은
또 한 번 놀랐다.

헨리의 엄마가 (아주 걱정스러운 목소리로)
물었다.

"흠, 어땠어요?"

찰리의 엄마는 찰리와 헨리를 쳐다보지 않고
조심스럽게 대답했다.

"그다지 나쁘지 않았던 것 같아요."

찰리와 헨리는 아침 식사가 차려진 식탁 너머로
마주 쳐다보았다. 둘은 너무나 뜻밖의 말을 듣고

입이 떡 벌어졌다. 지난밤을 생각하면 그보다 더
끔찍할 수가 없었기 때문이다.

그러자 헨리의 엄마가 제안을 했다.

"어머 잘됐네요! 그럼, 다음 토요일에는 찰리가
저희 집에 와서 잠옷 파티를 하면 되겠어요."

찰리와 헨리는 찰리의 엄마가 진실을 말해 주기를
기다렸다. 하지만 그런 일은 일어나지 않았다.

찰리의 엄마는 아주 의욕적으로 대답했다.

"예, 그럼 되겠네요. 아주 잘됐어요!"

헨리의 엄마가 제안을 했다.

"학교 숙제도 가져오고, 원하면 주말 내내
머물러도 된단다."

찰리와 헨리는 믿을 수 없다는 표정으로 고개를
가로저었다. 그러고는 엄마들만큼 나이를 많이 먹게
되어도 자기네들은 어른들의 진짜 속을 이해할 수
없을 거라고 생각했다.

놀란 찰리의 엄마가 말했다.

"그럼 정말 좋을 거예요."

찰리의 엄마는 아이들에게 밖에 나가 놀라고
하고는 헨리의 엄마와 마실 커피를 준비하기
시작했다. 헨리의 엄마는 찰리의 엄마가 커피 통에
우유를 들이붓고 주전자를 냉장고에 억지로
집어넣으려고 하는 모습을 보고 어안이 벙벙했다.

찰리의 엄마가 놀라 소리쳤다.

"어머나, 죄송해요! 아직 잠이 덜 깨서!"

헨리의 엄마는 돌아오는 토요일을 생각하니
갑자기 겁이 덜컥 났다.

밖으로 나간 아이들은 정원에서 즐겁게 놀았다.
찰리는 헨리를 넘어뜨렸고, 헨리는 찰리의 코를
잡으려고 했다. 둘은 싸우는 것처럼 보였지만, 물론
싸우는 게 아니었다.

둘은 너무나 행복했다.

둘은 역시 가장 친한 친구였다.

　찰리와 헨리는 둘도 없는 가장 친한 단짝입니다. 하지만 처음 만났을 때부터 한순간도 티격태격 싸우지 않은 순간이 없지요. 찰리는 늘 헨리를 넘어뜨려 다치게 하고, 헨리는 늘 찰리의 코를 때려 코피가 나게 합니다. 엄마들이나 선생님들은 이 둘을 무조건 떼어 놓으려고 하지요. 하지만 둘은 언제 싸웠냐는 듯 다시 절친한 사이로 돌아갑니다. 찰리와 헨리는 심지어 자기들이 싸웠다는 사실을 인정하지 않습니다. 찰리 말에 의하면, 헨리는 자기가 넘어뜨려 주는 것을 좋아한대요. 헨리 말에 의하면, 찰리는 헨리가 코피 나게 해 주는 것을 좋아한다죠. 이렇듯 둘은 남들이 보면 싸우는 것 같지만, 믿거나 말거나 사실은 즐겁고 행복하게 놀고 있는 것입니다. 어른들은 이해하지 못하는 찰리와 헨리만의 우정이지요.

가까스로 허락을 받은 잠옷 파티, 찰리와 헨리는 찰리네 집에서 시끌벅적 하룻밤을 보냅니다. 용돈을 털어 준비한 간식들로 한밤중에 만찬을 벌이고, 고양이가 드나드는 문으로 탈출을 시도하여 정원에서 잔디 썰매를 타며 신 나게 놀지요. 결국 찰리가 고양이 문에 껴 찰리의 부모님을 깨우는 소동까지 벌어집니다.

이래서 찰리와 헨리는 '곱빼기 말썽쟁이'라 불려요. 여러분도 정말 친하지만 가끔은 이해하지 못하고 또 가끔은 얄밉고, 가끔은 야속하기까지 한 그런 친구가 있을 거예요. 하지만 언제나 그 친구가 있어 든든하지 않나요? 요즘은 친구들과 어울려 놀기보다는 혼자 컴퓨터 게임에 몰두하는 아이들이 많아져서 안타까워요. 찰리와 헨리처럼 여러분도 친구와 직접 몸으로 부딪히며 같이 경험해 보는 건 어때요? 때로는 서로 다른 의견 때문에 티격태격 싸워 보기도 하고, 때로는 공감도 해 보고, 서로 다투다 화해도 해 보는 그런 시간들이 많아졌으면 하는 바람입니다.

지혜연